देवताओं के वाहन

कार्तिकेय और परावनी मोर

शुभा विलास

Om KIDZ
An imprint of Om Books International

तारकासुर एक भयानक असुर था। ब्रह्मा ने उसे वरदान दिया था कि केवल शिव के शक्तिशाली पुत्र द्वारा ही उसका अंत किया जा सकता है। इस असाधारण वरदान ने तारकासुर को अजेय बना दिया था।

वह ब्रह्मांड के चौदह ग्रह मंडलों पर विजय प्राप्त करना चाहता था। अपनी महत्वाकांक्षा को पूरा करने के लिए उसने देवताओं पर अत्याचार करना आरंभ कर दिया। उसने उन्हें इतना अधिक कष्ट दिया कि उन्हें शीघ्र ही इससे मुक्ति पाने के लिए कुछ करना पड़ा।

ब्रह्मा ने किसी प्रकार शिव और पार्वती के विवाह की योजना बनाई। शीघ्र ही कार्तिकेय का जन्म हुआ। इस अद्भुत बालक के छह मुख थे, जिनमें से प्रत्येक शिव की छह ऊर्जाओं का प्रतिनिधित्व करता था। ये ऊर्जाएँ फिर एकमुखी कार्तिकेय के रूप में एकजुट हुईं। माता पार्वती ने उन्हें वेला नामक दिव्य भाले के रूप में अपनी शक्ति प्रदान की जिससे वे बहुत शक्तिशाली हो गए।

कार्तिकेय न केवल एक कुशल योद्धा थे, अपितु अत्यंत ज्ञानी भी थे। एक बार उन्होंने अपने पिता को ॐ का अर्थ समझाया। शिव वास्तव में आश्चर्यचकित थे। पार्वती इतनी प्रसन्न हुईं कि उन्होंने उन्हें एक नया नाम दिया - स्वामीनाथ - अपने पति का गुरु।

अब कार्तिकेय के लिए तारकासुर का सामना करने और देवताओं को बचाने का समय आ गया था। जब उनके पास इतने सारे उपहार थे तो वह विजयी कैसे नहीं होते? उनके पास शिव द्वारा दी गई एक विशाल सेना, विष्णु द्वारा दी गई एक जादुई माला, गंगा द्वारा दिया गया अमृत से भरा पात्र और बृहस्पति द्वारा उपहार में दिया गया एक पवित्र दंड (छड़ी) था।

सेना में 30,000 सैनिक थे, सभी शिव के समान शक्तिशाली थे। माला धारण करने वाले को वह माला अतिरिक्त शक्ति प्रदान करती थी। अपनी सुरक्षा के लिए इतना कुछ होने के कारण, कार्तिकेय आत्मविश्वास से भरपूर थे। अब उन्हें कोई नहीं रोक सकता था।

तारकासुर के राज्य के प्रवेश द्वार पर, कार्तिकेय का सामना तारकासुर के भाई सुरपदमन और उसकी सेना से हुआ। कार्तिकेय से उनका कोई मेल नहीं था।

सुरपदमन, जो स्वयं एक शक्तिशाली असुर था, आश्चर्यचकित था कि कार्तिकेय उसे इतनी सरलता से परास्त कर सकता है। अब उसे अपने भाई के प्राणों का भय सता रहा था। निश्चय ही उसके भाई के प्राण संकट में थे। वह तारकासुर को चिंताजनक समाचार देने के लिए दौड़ा।

यह अनुभव करते हुए कि कार्तिकेय को कोई पराजित नहीं कर सकता, तारकासुर युद्ध करने के लिए आगे बढ़ा। परंतु कार्तिकेय का जन्म तारकासुर का वध करने के लिए हुआ था, इसलिए उन्हें उसका अंत करने में कोई कठिनाई नहीं हुई। तारकासुर ने कितना भी प्रयास किया, फिर भी उसके शस्त्र कार्तिकेय के सामने व्यर्थ हो गए।

कार्तिकेय ने तारकासुर द्वारा उन पर प्रयोग किए गए प्रत्येक शस्त्र और उपाय को नष्ट कर दिया। शीघ्र ही, असुर धराशायी हो गया और देवताओं ने कार्तिकेय पर फूलों की वर्षा करके उत्सव मनाया।

तारकासुर की मृत्यु के बाद, पूरी सेना हार गई। सुरपदमन के पास दो विकल्प थे। लड़ो और मरो, या आत्मसमर्पण करो और जीवित रहो। अपने प्राणों के भय से सुरपदमन ने कार्तिकेय के सामने आत्मसमर्पण कर दिया। कार्तिकेय को उस पर दया आ गई क्योंकि सुरपदमन अपने पिछले जन्म में भगवान शिव का भक्त था। उसकी गलतियों के कारण उसे असुर का जीवन मिला था। यद्यपि उन्हें उसका वध कर देना चाहिए था, परंतु कोई बात कार्तिकेय को रोक रही थी। संभवतः, वे अपने पिता के भक्त का वध नहीं करना चाहते थे। सुरपदमन के लिए यह अपनी गलतियों पर पश्चाताप करने का अवसर था।

वह अपना रूप बदलकर एक वृक्ष बन गया ताकि वह स्थिर खड़ा होकर तपस्या कर सके और क्षमा माँग सके। फिर भी, कार्तिकेय ने अपेक्षा के अनुरूप सभी असुरों का अंत करने के अपने कार्य को पूरा करने के बारे में सोचा। चाहे वह वृक्ष ही क्यों न हो। उन्होंने वृक्ष पर तीर चलाया, जिससे वृक्ष दो भागों में बँट गया।

वृक्ष ने कुछ असामान्य करने का निश्चय किया। वृक्ष का आधा भाग मुर्गा बन गया और दूसरा भाग सुंदर मोर में बदल गया, जिसे परावनी कहा जाता है। कार्तिकेय ने अपने ध्वज पर प्रतीक स्वरूप मुर्गे को स्थापित किया और मोर पर सवार हो गए। परावनी मोर अत्यंत प्रसन्न था। उसका जीवन पूर्ण रूप से बदल गया था। कार्तिकेय ने उसे अपने वाहन के रूप में चुना था। उसे स्वयं विश्वास नहीं हो रहा था कि किसी समय वह एक भयानक असुर था।